KEI KOGA y RYO IZAWA

BRUTAL

Confesiones de un detective de homicidios

Traducción de

Clara Altares Roldán

ÍNDICE

CAPITULO 1: DE LAS BUENAS ACCIONES Y LA REDENCION

PAM
PAM
PAM
PUFF
POP
POP
FRUSH
FRUSH
Plic
KO
PAM
AH.

...
YOU LOSE
CRAC
CRAC
Bzzzz
YOU LOSE
Bzzzzz

...
Crunch
Crunch
MIERDA DE JUEGO...
Slup
Boing
Pom
Bzzz
Boing
Bzzz
Bzzz
Bzzzz
Bzzzz
Bzzzz
Bzzzz
Bzzzz
Bzzz
Bzzzz
Bzzz

Bzzzz
Bzzzz
Bzzzz
Bzzzz
Bzzzzz

Zig zag
ウネウネ
ウネウネ
Zig zag
Bzzz
Bzzz
Bzzz
...
Snif
Snif
くんくん
¡PUAJ!

Cri
Cri
APESTA.
Cri

20 AÑOS DES-PUÉS
HACEMOS ENTREGA DEL PREMIO AL SUPERINTENDENTE DE LA POLICÍA METROPOLITANA,
POR EL SEGUIMIENTO DEL CASO DE VIOLACIÓN OCURRIDO EN EL SUR DE KANTO,
A HIROKI DAN, MIEMBRO DE LA PRIMERA DIVISIÓN DE INVESTIGACIÓN CRIMINAL.
Flip
Flip
Flip

Bla bla
Bla bla
Bla bla

BUENO, AL FINAL FUE DAN QUIEN SE OCUPÓ DE LA PARTE MÁS DIFÍCIL DEL CASO.

DE NO SER POR LA MENTE RÁPIDA DE ESE CHICO, LA OPINIÓN PÚBLICA SE NOS HABRÍA ECHADO ENCIMA.

VALE, VALE. ADMITO QUE ES COMPE-TENTE.
JA JA JA

Baño de mujeres

EN CUALQUIER CASO, SU PADRE TAM-BIÉN FUE SUPERIN-TENDENTE, ¿VERDAD?

Tachán
ATRACTIVO, CONDUCTA INTACHABLE, Y, ADEMÁS, AMABLE.
ES PRÁC-TICA-MEN-TE...

ADEMÁS, HE OÍDO EL RUMOR DE QUE TIENE TERRENOS EN LA MONTAÑA.
¿¡EN LA MONTAÑA, DICES!?
Y TAMBIÉN TIENE UN HORNO DE ALFARERÍA.
¿¡UN HORNO!?
PERFECTO.

ES AFICIONADO A LA ALFARERÍA Y SU TÉCNICA ESTÁ A LA ALTURA DE LOS MEJORES.
Burburbur
¡INCREÍBLE!

NO, NO. DE ESO NADA.
¡SEGURO QUE TIENE ALGÚN DEFECTO! COMO POR EJEMPLO...
¡PODRÍA TENER ALGÚN FETICHE EXTRAÑO!

PRIMERA DIVISIÓN DE INVESTI-GACIÓN CRIMINAL

...

El informativo de hoy viene acompañado de una programación especial.

¿QUÉ HACÉIS?
¡SILENCIO, QUE YA EMPIEZA!

Hace veinte años,
dos niñas de tres y cuatro años respectivamente fueron asesinadas.
Programa especial

DAN.

Ambas fueron descuartizadas.
POLICÍA METROPOLITANA
POLICÍA METROPOLITANA
Después, enviaron los cadáveres a las familias de las víctimas.
Fue un crimen cruel y descorazonador...

ESE FLORERO,
¿ES POSIBLE QUE LO HAYAS HECHO TÚ A MANO?
Bis Bis
...
SÍ.
ES UNA TAZA.

El asesino, que en aquel momento tenía dieciséis años, fue arrestado.
Autoproclamado y conocido en los medios como «El carnicero mensajero».

El caso enfureció a la población de todo Japón.
¡AH!
E-ES-ESTO...
EL GATO ES PRECIOSO.
...
ES...
... UN OSO.

Ha sido puesto en libertad tras haber pasado dieciocho años en prisión.
...
...
En este momen-to,

está escribiendo un libro cuyo título será *Soñar despierto.*
Tic
Tic
Tic
En el día de hoy, hemos decidido invitarlo al estudio para hacerle una entrevista exclusiva.
¡Pronto se anunciará su publica-ción!

POR SUPUESTO, SABEMOS QUE RECIBIREMOS CRÍTICAS DE LOS ESPECTADORES, PERO...
Soñar despierto
白昼夢
... LES ASEGURO QUE LOS MIEMBROS DEL ESTUDIO HAN MANEJADO ESTE ASUNTO CON DISCRECIÓN.
AHORA, SIN MÁS DILACIÓN...

¡AQUÍ ESTÁ! LES PRESENTO...
¡¡AL CARNICERO MENSAJERO!!
plan

¿QUÉ NOS ENCONTRAREMOS EN SU LIBRO?
EN ESTE MOMENTO, TODAVÍA VOY POR LA MITAD...
EN ÉL EXPLORO LOS MOTIVOS PSICOLÓGICOS... QUE ME LLEVARON A COMETER LOS ASESINATOS DE ESAS NIÑAS...

¿QUÉ TIPO DE PENSAMIENTOS TIENE MIENTRAS TRABAJA EN SU OBRA?
...

...
PIENSO QUE MORIR...

...
... HABRÍA SIDO LA ÚNICA MANERA DE COMPENSAR A ESAS NIÑAS.
Brrr

SIN EMBARGO, EL PODER JUDICIAL...
ESTE PAÍS ME DEJÓ VIVIR.
DESPUÉS DE ESO, TODA MI VIDA...

UH... UGH...
SNIF...
VI-

¡VIVIRÉ CON EL PROPÓSITO DE COMPENSAR TODO EL DAÑO QUE HICE!

UUUUGH...

Buaaaaoy
Ugh
Ugh

Estimados espectadores, este lamento proviene de lo más profundo de su alma.
Es verdad que sus pecados son imperdonables,
pero...

¡Bah! MENUDO SINVER-GÜENZA.
NO SÉ CÓMO LE HAN PERMI-TIDO HACER ESTO...
TAP
TAP

PARA EMPEZAR, SI REALMEN-TE SE ARRE-PIENTE DE SUS ACTOS,
Tic
Tic
¿QUÉ HACE ESCRIBIENDO UN LIBRO Y SALIENDO EN TELEVISIÓN?

¿CÓMO SE LE OCURRE A LA EDITORIAL SACAR ADELANTE SEMEJANTE PROYECTO?
A LAS EMPRESAS LES DA IGUAL TODO MIENTRAS OBTENGAN BENEFICIOS.
BUENO...
UN LIBRO ESCRITO POR UN ASESINO LLAMA MUCHO LA ATENCIÓN.

ESE TIPO NO ES UN ASESINO CORRIENTE.

AQUEL DÍA ESTUVE EN EL LABORATORIO FORENSE. FORMÉ PARTE DEL EQUIPO QUE ANALIZABA LOS CUERPOS.
Y CREO QUE ESTOY EN LO CIERTO CUANDO DIGO QUE...

ALGO COMO AQUELLO...
... SOLO UN MONSTRUO ES CAPAZ DE HACERLO.

Una semana después

にゅるっ
puru

POP
POP
Chin
ドスッ!!
Kochun
Kochun
ドスドス
...
Kochun
ドス
Ñum
Ñum
ちゃちゃ
Ñum
Blerg
Frush

MORIR COMO COMPENSACIÓN...
QUÉ TONTERÍA.
FUE UNA ACTUACIÓN PERFECTA, ¿VERDAD?
Yoshiyuki Zaizen, El carnicero mensajero

MENUDO BASTARDO...
E-ESTO, SEÑOR...
Makoto Inoue, editor de la editorial Zeon

¿QUÉ?
¿CÓMO VA CON EL MANUSCRITO?

...
AL FIN HE LLEGADO A LA PARTE...

AH.
... EN LA QUE CORTO EL PRIMER BRAZO.
Chas Chas

EL PRIMER CORTE FUE EL MÁS DIFÍCIL,
PERO DESPUÉS DEL SEGUNDO Y DEL TERCERO, ¡EMPIEZAS A MEJORAR GRADUALMENTE!
Está chupado.

...

HAGAS LO QUE HAGAS, "LA EXPERIENCIA" ES IMPORTANTE.
CLA-CLARO

DESPUÉS DE PASAR DOS DÍAS HACIÉNDOLAS PEDAZOS...

SE PUSIERON PÁLIDAS, JUJU... O-OLÍAN FATAL.
Plaf
PUAJ
ENTONCES,
SE ME OCURRIÓ LA IDEA...

Y LAS METÍ EN CAJAS PARA ENVIÁRSELAS A SUS PADRES.

...
OYE...
Tsk

PUFJU
¿TE LO IMAGINAS?
ABRIR LA CAJA...
PUFJUJU
¡Y ENCONTRARTE DENTRO A TU PROPIO HIJO SUCIO Y DESCOMPUESTO!

...

WAAAAAA
¡BU!
¡AH!

...

¡IMAGINA SUS CARAS DE ESPANTO!
¿RECUERDAS LO QUE DIJE EN EL PROGRAMA?
¿LO VISTE?

AH.

¡MENUDA FARSA!
PERO…
ERA UNA OPORTUNIDAD QUE NO PODÍA DESPERDICIAR.
RELLÉNAME EL VASO.
¡FUE TODO UN ÉXITO!
y en la tele
¿VERDAD?
…
…
ESTO… SEÑOR,
Glu glu glu

CREO QUE DEBERÍA HACER UN COMUNICADO PARA PEDIR DISCULPAS A LAS FAMILIAS DE LAS VÍCTIMAS.
ピク
Tic

ES... ¡LA PIEZA QUE FALTA!
LLAMARÁ LA ATENCIÓN DE LAS MASAS...
Cop
EH...

PARA MATAR SOLO NECESITO MIS MANOS.
ES MI ESPECIALIDAD.

QU-
ESA SENSACIÓN, CUANDO LA VIDA SE DESVANECE...
CONTEMPLARLO DE PRIMERA MANO...
ES DELICIOSO.
¡UGH!
GAH

pap, io...
COF
COF COF
COF
COF
PUAJ
PAM
COF
COF
CHE
¿QUÉ DECÍAS?
¿DAR UN DISCURSO PARA LAS FAMILIAS AFLIGIDAS?
NNNN...
A A A AH
AGH

NO PIENSO HACERLO.
ÑAM ÑAM ÑAM
UGH
COF
UGH
SHUP
EL ÚNICO ACUERDO QUE TENGO CON LA EDITORIAL
CONSISTE EN ESCRIBIR ESE LIBRO.
COF COF COF
PUAJ

BUENO, NOS VEREMOS EN LA PRÓXIMA REUNIÓN.
HASTA LA SEMANA QUE VIENE.

Tec tec tec
Zum Zum
Fshhh

Aaah

QUIERO ESTRANGULAR SU CUELLO Y ROMPERLE TODOS LOS HUESOS DE ESA CARITA...
PARA ENTONCES, YA SE HABRÁ MEADO ENCIMA.
EL OLOR QUE SE QUEDA DESPUÉS DE LA MUERTE ES DELICIOSO...
¿EH?
La verdadera identidad del carnicero mensajero

¡No lo podemos permitir!

Tap
Tap
¡¡LARGO DE AQUÍ, ASESINO!!
¡¡MONSTRUO!!
¡¡NUNCA TE LO PERDONAREMOS!!

¿HOLA? ESCUCHA,
HAY GENTE AGLOMERADA ENFRENTE DE MI CASA.
¿CÓMO ES POSIBLE?

Tac
¿HABÉIS FILTRADO LA INFORMACIÓN DESDE LA EDITORIAL?
¡Señor! ¡¡Es increíble!!
¿QUÉ?

No paran de llegarnos pedidos del libro... ¡Estamos desbordados! Hemos decidido lanzar una segunda edición ya, antes de que salga a la venta la primera.
Gracias al artículo de esa revista...
¡Ha sido todo un éxito!

¿CÓMO? ¿EN SERIO?
Oh

ESTUPENDO.
YA SABES, LA GENTE ES ESTÚPIDA.
POR MUCHO QUE ME CRITIQUEN, ESTÁN DESEANDO SABER QUÉ TIENE QUE DECIR UN ASESINO.

BUENO,
SEGUIRÉ ESCRIBIENDO ESE PATÉTICO LIBRO.
Bip

TUTURUUU
TUTURUUU
Tap

TUTU-
RUUU
Clic

TSZZZ
PLAF

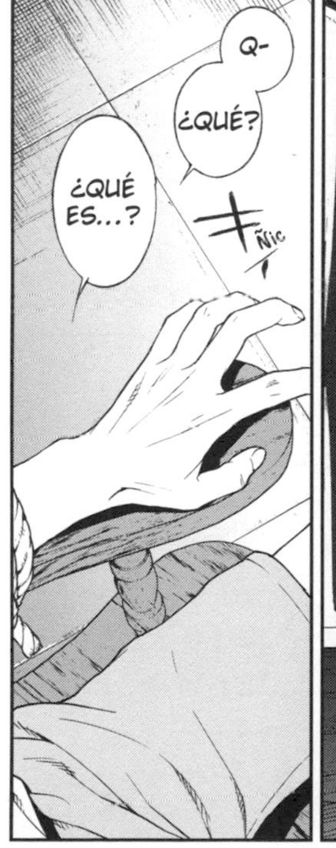
Q-
¿QUÉ?
¿QUÉ ES...?
Ñic

¿EH?
Ñic

TRANQULÍ-
ZATE.
ESTÁS EN BUENAS MANOS.

Q-
¡OYE!
QU-
¡¡QUÉ COJO-NES ES ESTO!!

EL EXORCIS-TA,
ESTRENADA EN 1973, ES UN CLÁSICO DEL CINE DE TERROR ESTA-DOUNIDENSE.

¿EH?

DESCRIBE LA LUCHA ENTRE EL PADRE KARRAS Y EL DEMONIO PAZUZU, QUE HA POSEÍDO EL CUERPO DE UNA NIÑA.
¿NO LA HAS VISTO NUNCA?

PODE-MOS VERLA JUN-TOS.

N- ¡¡NO ME REFERÍA A ESO!!
¡¡DESÁTAME!!

¿¡HAY AL-GUIEN!?
¡PO-LI-CÍA!
¡¡QUE AL-GUIEN LLA-ME A LA POLI-CÍA!!

...

¡¡BUAAAAAAAAAAAA!!
Oh
¿¡HAY ALGUI-EEEEEEEEEEN!?

PUEDES GRITAR TODO LO QUE QUIERAS.
ESTE SITIO ESTÁ BASTANTE ESCONDIDO.

Q-
Bur
Frush

POR CIERTO, ZAIZEN...
¿SABES CUÁNTAS PERSONAS...
... DES-APARE-CEN A LO LARGO DE UN AÑO?

¿QUÉ?

...
Ju ju ju

Jijijiji

FLUM
80 000 PERSONAS.
BRUUUUM
¿EH?
QU-
¿QUÉ?
BRUM
BRUM
SEGÚN LA BASE DE DATOS DE LA AGENCIA NACIONAL DE POLICÍA,
CADA AÑO, DESAPARECEN ALREDEDOR DE 80 000 PERSONAS.
BRUUUUM
Ñic
¡AH!
¿QUÉ ES ESTO?
Ñic
Ñic
¡OYE!
BRRRRR

AUNQUE ES CIERTO QUE EN MUCHOS DE LOS CASOS SE LAS ENCUENTRA, INDEPENDIENTEMENTE DE SI ESTÁN VIVAS O MUERTAS.
EH
OYE
QUE ALGUIEN DESAPAREZCA DE REPENTE ES, DE HECHO, ALGO QUE SUCEDE TODOS LOS DÍAS.
BRRRRRR
¿QUÉ VAS A...?
¡DETENTE!
EN RESUMEN...
Y TÚ SOLO ERES UNA PERSONA MÁS,
NO HABRÁ NINGÚN PROBLEMA SI DESAPARECES.

¡OYE, OYE. ¡PARA, PA-RAAAA!
AAAAAAAH
¡HIIIII!

¡DETENTE!
ESPE-RA, ESPE-RA, ES-PERA, ESP-
FRRRR
FRRRRRRRRR
AH.
AH, AH...

CRAC
Ñ
CRAC
CRAC
AAAAAAAAAGH
SÍ
PARECE QUE ESTAMOS TENIENDO PROBLEMAS PARA SEPARAR ESTA SECCIÓN DEL HUESO.
UUUUAAAAAAAAAAAAA
ÑIII
FRRRRSHHH
AAAAAAA
FRSHHH
TENDREMOS QUE TOMAR MEDIDAS MÁS DRÁSTICAS...

GUIUGUIUGUIUU
Je je
AAAAAH
QUÉ BIEN SIEN-TA.
FLUS
AAAAAAAAAAAAAAAAAAH
POP POP
SÍ, NO HA SIDO UN CORTE LIMPIO.
UGH
UGH

PERO ESTÁ BIEN,
AÚN QUEDAN EL BRAZO DERECHO Y AMBAS PIER-NAS. TRES INTENTOS MÁS.
IRÉ MEJORAN-DO CON EL SEGUNDO Y EL TERCER CORTE.

... PRACTI-CAR...
... ES IMPOR-TANTE,
¿VER-DAD?

B-
BU-
BLURG

BUAGH

COF
COOOF
VOMITA CUANTO QUIERAS, POR FAVOR. NO TE CONTEN-GAS.

NO TE PREOCUPES,
LES PASA A TODOS.
は AH
はぁ AH

LA ANSIEDAD Y EL DOLOR PROVOCAN LAS NÁUSEAS QUE INDUCEN EL VÓMITO.
SIMPLEMENTE, OCURRE.

PER...

...PER...
...PERDÓNAME...

TÚ... ME ESTAS HACIENDO ESTO... POR VENGANZA...
UF
UF

DINE-RO.
DIME CUÁNTO DINERO QUIERES QUE TE PAGUE.
UCH
CUANDO MI LIBRO SE PUBLIQUE, TE DARÉ TODO LO QUE QUIE-RAS... DE LO QUE GANE CON LOS DERECHOS DE AUTOR.
FU

CHAAAN ♪
PLOC.

CHAN
CHAAAN ♪

AH, ¡AHÍ VIENE! ¡AHÍ VIENE!
TCHACHÁN ♪
¡MI ESCENA FAVORITA!

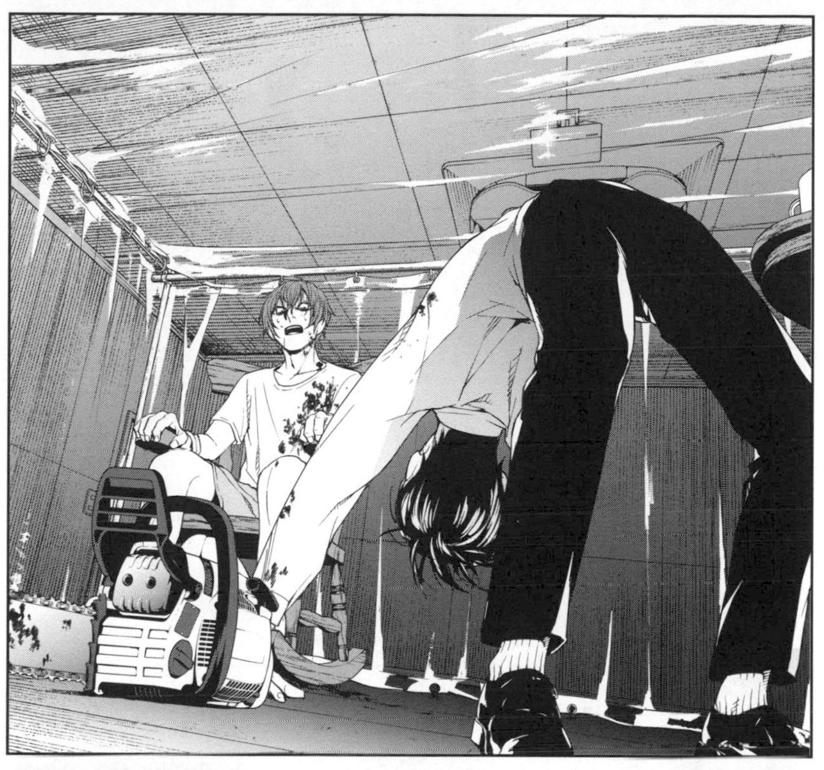

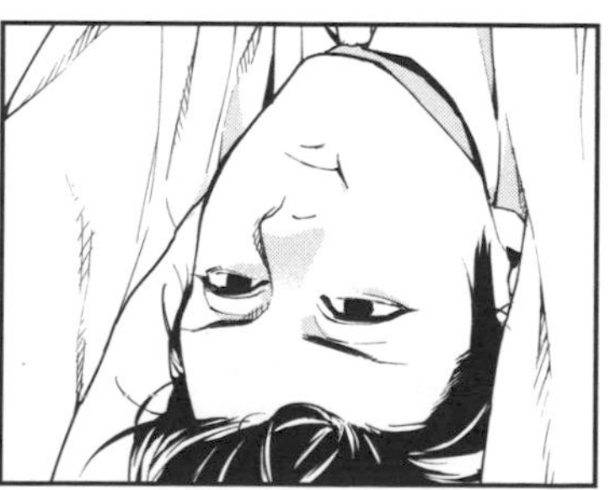

GORGORO

JESU-CRISTO
¡ESTA ESCENA ES UNA OBRA MAESTRA!
Ja ja ja ja ja
COF COF

...

¿QUÉ OCU-RRE?

¿NO TE PARECE FASCI-NANTE?
EN LOS CLUBES UNIVERSITA-RIOS TUVO MUY BUENA FAMA ESTA BROMA.

BUENO, NO IMPOR-TA.

NAVIDAD,

Ah
ESTÁ A LA VUELTA DE LA ESQUINA,
Ah
¿VER-DAD?
Ah

ZAIZEN.
EH, ZAIZEN.

DESPIERTA.

VENGA, MÍRATE.
ES MARA-VILLO-SO.
HAS QUEDADO GENIAL, ¿VER-DAD?

Preciosos♪
ES NORMAL QUEDARSE IMPACTADO ANTE SEMEJANTE ÉXITO.

カタ BRRR
カタ BRRR
カタ BRRR
AH
AH
AH

¿DÓN-
DE...
¿D-
DÓNDE
ESTÁN
MIS
BRA-
BRA-
ZOS?

MI-
MIS...

¿MIS
PIER-
NAS...?

MUY PRONTO SERÁ NAVIDAD.
QUERÍA HACER ALGO ACORDE A LA OCASIÓN.

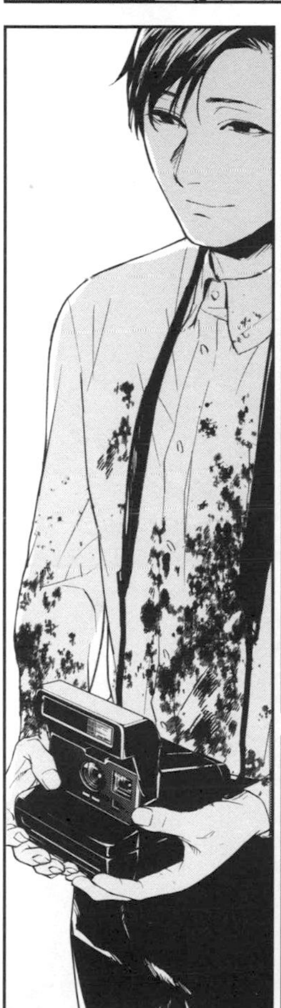

Clic

NO ES POR VENGANZA. NI POR DINERO.
ESAS COSAS INSIGNIFICANTES NO ME INTERESAN.
LO ÚNICO QUE DESEO…

ES VER ESA EXPRESIÓN EN TU ROSTRO.

N... N-N-N-
NO-
NO QUIE-RO...
MORIR.

¡OH!
PERO DEBERÍAS MORIR PARA COMPENSAR SUS MUERTES.
¿NO FUE ESO LO QUE DIJISTE EN TELEVISIÓN?

VAYA,
¿ERA MENTIRA?

CHUST
CHUST
CHUST

Frush
パラ
No. 8

Frush
パラ
No. 14

Frush
パラ
No. 27

JU, JU, JU.

ゴオオオ
CRIP

オオ
CRIP
CRIP
ゴオオ
CRIP
CRIP
CRIP
オ
CRIP

ズズ…
slurg

CRIP
CRIP

Y ENTONCES,

LO QUEMÉ PARA QUE EXPIARA SUS PECADOS. NO QUEDÓ NI RASTRO DE SANGRE.

...

HICISTE... ALGO BUENO, ENTONCES.

...
DEBEMOS AMAR AL PRÓJIMO.

...
ALGÚN DÍA, ME REUNIRÉ DE NUEVO CON ÉL EN EL CIELO.
ESE ES MI ÚNICO DESEO.

PARA LO-GRARLO,
SEGUIRÉ LLEVANDO A CABO ESTAS BUENAS ACCIONES.

Bam
Aaah...
¿QUÉ OCURRE?

OTRA VEZ... ESA PERSONA QUE VIENE SIEMPRE.
ESTO... ¿EL ASESINO DESPIADADO?
Mindows XP

ESCUCHAR EN SILENCIO ES LO MEJOR.
NO HACE NINGÚN DAÑO.
Y NO HA INTENTADO HACERTE NADA, ¿VERDAD?
Frush
Frush
DEBERÍAS ESTAR CONTENTO.
ADEMÁS, ESTO ES SOLO UN TRABAJO DE JORNADA PARCIAL.
SOLO HAY QUE TENER PACIENCIA.
TIENES RAZÓN...

MÁS...
MÁS.
MÁS.

DEBO SEGUIR REALIZANDO MÁS BUENAS ACCIONES.

B R U T A L

BRUTAL
Confesiones de un detective de homicidios

ESTE SITIO...
¿DÓNDE...?
...
¿QUIÉNES SON...?
NO PUEDO...
NO PUEDO MOVERME.
カチャ
clink
カチャ
clink

Boing
PARAD...

YASUNO,
MIRA HACIA AQUÍ, POR FAVOR.
U...
NO ME SALE
LA VOZ.
U...

REC
MIRA HACIA AQUÍ.
¡PATATA!
00:00:03:02

ZURG

VAMOS, YASUNO. DILE HOLA A LA CÁMARA.

YEYY
HD

REC
AH.
GUAJ
00:00:07:75

puaj
TIENE LA REGLA.
WOW, MIRA QUÉ GRO-TESCO.
Toca, toca.
¡OYE! PARA, IDIOTA. SE VE PERFEC-TAMENTE DESDE AQUÍ.
Jajaja

...

QUÉ BUENA SUER-TE...

¿EH?
¿EH?
¿EN SERIO?
¿ES ALGÚN TIPO DE FETICHE TUYO, IKEWAKI?
CLARO QUE NO. NO SEAS TONTO.
paf

HOY ES SU "DÍA SEGURO".
ASÍ QUE OS PODÉIS CORRER DENTRO SIN
PRO
BLE
MA
¿A que sí?

JA JA JA
Nos tocó la lotería.
YA ENTIENDO.
QUÉ BRUTO ERES, IKEWAKI.

DUELE...
DUELE.
POR FAVOR,
QUE ALGUIEN ME AYUDE.

WOW, CON TANTA SANGRE SALIENDO ESTO SIENTA GENIAL.
ENTRA IGUAL DE BIEN QUE CON LUBRICANTE.

KGGG
KGGG
KGGG

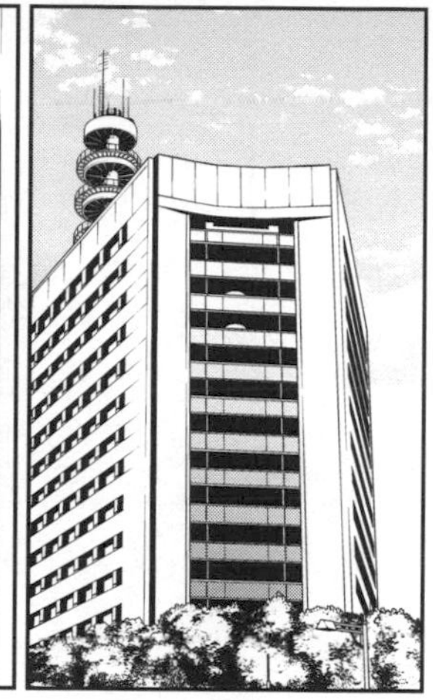

¿TE HAS ENTERADO DE LO QUE DICEN DEL CARNICERO MENSAJERO?

AH.
TE REFIERES A QUE YA NO VAN A PUBLICAR SU LIBRO.
SEGURO QUE SE HAN ACOBARDADO POR LA MIERDA QUE LES ESTABA CAYENDO ENCIMA.

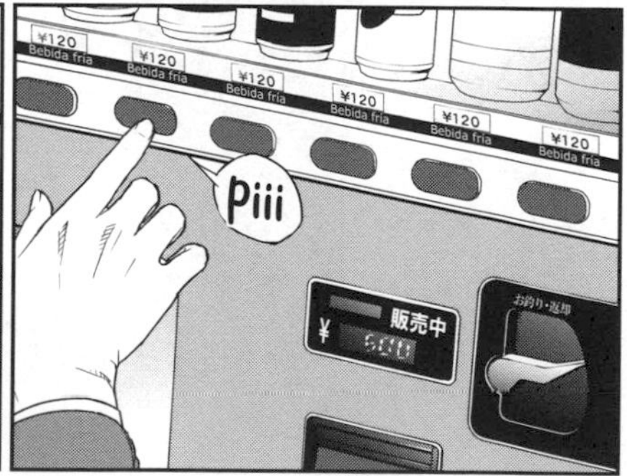

¥120 Bebida fría
¥120 Bebida fría
¥120 Bebida fría
¥120 Bebida fría
¥120 Bebida fría
¥120 Bebida fría
Piii
販売中

Ca-
clonc

Tuc

Mamiya Ryo, jefa de policía de la primera división de investigación de la Policía Metropolitana.
FFEE
ACK

Ñiii
Tap
Tap

Fiiiuuuuu

Fiiiuuu
ヒューオッ
AH,
JEFE DAN.

*EN JAPONÉS, ESTAS TRES PALABRAS SE PRONUNCIAN IGUAL. (N. DE LA T.)

...
QUÉ MONO... ES... ¿UN GATO?
ES... UN CONEJO.
Lo moldeé hace nada.

...
Clic

¿Y A TI, JEFA?
¿QUÉ TE PREOCUPA?

...

¿CÓMO TE HAS DADO CUEN-TA?

POR LA EXPRESIÓN DE TU ROSTRO.
FURIOSA Y, AL MISMO TIEMPO,
TRISTE...

ESO ES LO QUE VEO.

...
NO DEBERÍA ABUSAR DE LA CONFIANZA DE MI AMIGA AL CONTARTE ESTO. SI LO MANTIENES EN SECRE-TO...

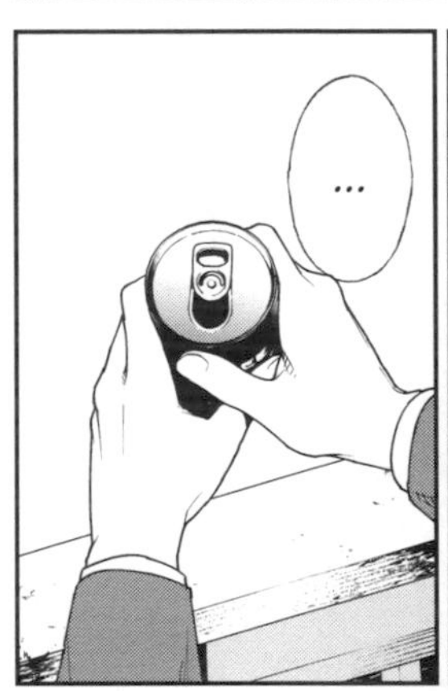
...

UNA EXCOMPAÑERA DE LA UNIVERSIDAD ME PIDIÓ QUE LE DIERA UNOS CONSEJOS...
TIENE VEINTIÚN AÑOS. TODAVÍA ES ESTUDIANTE.

FUE A UNA CITA GRUPAL,
ORGANIZADA PARA UNAS POCAS PERSONAS POR UN COMPAÑERO DE SU UNIVERSIDAD.

¡ES UN JUEGO DE PENALIZACIONES, YASUNO!
YA NO PUEDO...
Ja ja ja
Ja ja ja
trac trac
DISCULPEN LA DEMORA.
¡AQUÍ TIENES!
EN SERIO, NO DEBERÍA BEBER MÁS...

AH...
EN ESE CASO, ¡BEBERÉ YO TAMBIÉN!
Tap
PUES,
PERO...

¡CHIN CHIN!
Clink

Ja ja ja
Glup
Glup
Glup
Glup
Kyaa

...
...

Todas las mujeres recuerdan empezar a sentirse muy borrachas después de la intervención del camarero.
Ja ja ja
Ji ji ji
Kyaaa
Las tres fueron acompañadas por cada uno de los hombres para poder coger un taxi.
AL MISMO SITIO DE SIEMPRE.

No era casi consciente de lo que estaba pasando,
encerrada en una habitación desconocida y siendo violada por varios hombres.

Después, solo recuerda despertarse en un callejón cerca de la estación.
Ha pasado un mes desde aquel día…
Finalmente, me confesó el infierno por el que había pasado.
K.ggg

INMEDIATAMENTE, LE RECOMENDÉ QUE FUESE AL HOSPITAL PARA HACERSE UN RECONOCIMIENTO MÉDICO Y A PRESENTAR UNA DENUNCIA A LA POLICÍA...

SIGUIÓ MI CONSEJO.

POR SUERTE, NO ESTÁ EMBARAZADA, NI HA CONTRAÍDO NINGUNA ENFERMEDAD.

PERO...

NO CREO QUE...
VAYA A RECUPERARSE DEL TRAUMA.

LOS SOSPECHO-SOS NIEGAN HABERLO HECHO.
Y TAM-POCO HAY PRUE-BAS.

NO PUEDO HACER NADA POR ELLA... POR ESO ESTOY FURIOSA.

GLUP

SI PUEDO AYUDAR EN ALGO, LO QUE SEA,
DÍMELO.

GRACIAS, DAN.

Tic
Tic
Ssshiuuuu

Kado Maruyama, abogado
BRRR
BRRR
Yasuno Hamada

TUM TUM
COJA ESTO, POR FAVOR.
PLAF

ADE-LANTE.

¡!

¿QUÉ
ES
ESTO?

UN REGALO
DE PARTE DE
IKEWAKI.
SHURRRP

IKE...
WAKI...
BRRR

¿PARA
QUÉ...?
CLIN
CLIN

PARA QUE RETIRE LA DEMANDA, POR SUPUESTO.

ESO ES...
¡NO!
NO ACEP-TO SU DINE-RO.
plaf

pafff

ESTOS SON LOS BENEFICIOS QUE BUSCABAS.

¿BE-NEFI-CIOS?

ASÍ ES.
SLURRRP

EN PRIMER LUGAR...

... IKEWAKI ESTÁ SERIAMENTE DESCONCER- TADO
POR LA DENUNCIA QUE HAS INTER- PUESTO EN SU CONTRA.

...
¿EH?

LA RAZÓN ES...

QUE LE DISTE TU CONSENTIMIENTO
PARA MANTENER RELACIONES SEXUALES.
¿QUÉ?
ESO NO ES... YO...
POR SUPUESTO,
TENEMOS PRUEBAS QUE LO DEMUESTRAN.
A ver, a ver.

Clic
Mmm

Mira hacia aquí. ¡Patata!

Yeyy.
AAAH

Ah.
Guau.
Puaj. Tiene la regla.
Toca, toca.
Wow, mira qué grotesco.

BAM

SHURRRP

Brrr
Brrr
ESCUCHE, SEÑORITA...

SI CONTINÚA DICIENDO MENTIRAS SOBRE MI CLIENTE...
... ESTAS IMÁGENES DE RELACIONES SEXUALES CONSENSUADAS ACABARÁN EN MANOS DE LA POLICÍA TARDE O TEMPRANO.

CLIN
CLIN

COMO SABRÁS...
ESO HARÍA QUE UNA GRAN CANTIDAD DE PERSONAS VIERAN ESTAS GRABACIONES.
¡ESO ES...!

TEN.
COGE EL DINERO.

HAGA EL FAVOR DE RETIRAR LA DENUNCIA.

SOLO FOLLANDO SE PUEDE CONSEGUIR MUCHO DINERO.
ES ALGO QUE CELEBRAR, ¿NO CREES?

KGGG

B R U T A L

BRUTAL
Confesiones de un detective de homicidios

PRÉSTAMO ESTUDIANTIL
¿QUÉ TIPO DE TRÁMITE DESEA REALIZAR?
RETIRAR
INGRESAR

Tip tip
Tip tip
GLUPS
pip
RETIRAR

TERU.
Taichi Aoyama (19)

AQUÍ TIENES LA CUOTA DE ESTE MES, 53000 YENES.

BIEN.
Teru Ikewaki (21)

Pomp

ARRIBA, ARRIBA.
HASTA LA CIMA.
¡SUBE!
ARRIBA, ARRIBA.

Conocí a Teru por casualidad hace aproximadamente medio año.
COMAMOS EN ESA ZONA.
¿OS PODEMOS ACOMPAÑAR TAMBIÉN?
Entré en la universidad hace una semana.
Donde la gente está dividida en dos grupos.

Los populares.
Y los pringados.
Fui víctima de acoso durante la secundaria.
Yo estaba en el lado de los pringados, claro.

Tampoco conseguí perder la virginidad con alguna chica,
además de soportar a esos vulgares idiotas que se creían por encima de mí.
Estudié desesperadamente para entrar en una universidad de primera.
Así, mi destino cambiaría y por fin tendría éxito.
Eso es lo que esperaba…
Chist

SHURP

SHURP
するるる…
SHURP

DESDE QUE ENTRÉ EN LA UNIVERSI-DAD,
NO HE HABLA-DO CON NADIE.

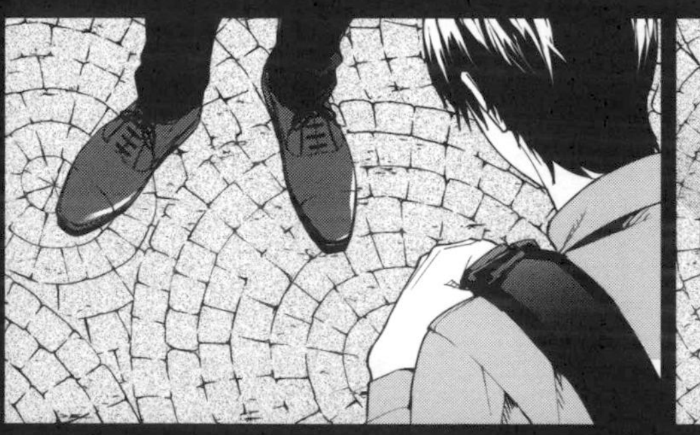

QUIERES CAMBIAR,
¿VERDAD, COLEGA?

Chu
¿EH?
...
¿QUÉ?
DEBERÍAS CAMBIAR...
ANTES DE MORIR COMO UN PERDEDOR.

MOT
MOT
MOT
En esta sociedad solo existen dos tipos de personas.
Los ganadores y los perdedores.

...
Incluso si entráis en la mejor de las universidades o si encontráis trabajo en una empresa importante,
podéis seguir siendo unos perdedores.

¿Odiáis ese tipo de vida?
¿Queréis cambiar?

Chu
Si entráis en M.O.T.,
os convertiréis en ganadores.
Guaaa
En M.O.T. aprenderéis
el método ideal para relacionaros con las mujeres.
Wow
¿?
Qué hacer y qué no hacer para que todo vaya bien.
La clave, es la confianza en uno mismo.

¡Podréis relacionaros con mujeres!
Si aumentáis vuestra confianza,
os convertiréis en ganadores.
M.O.T. es uno de los mejores clubes de la universidad.

M.O.T.
La organización está liderada por Ikewaki (el emperador), situado en la cúspide de la pirámide. Después lo siguen los gerentes (la nobleza). El resto son miembros comunes (la burguesía).

...

Después de ser un perdedor toda mi vida...
... ¿seré capaz de cambiar?

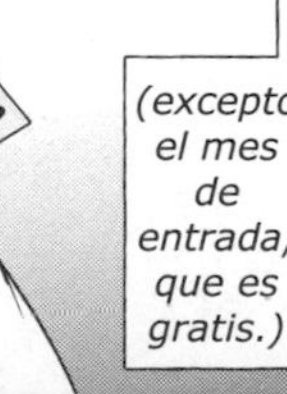
Ser miembro tiene un coste de 10000 yencs.
Las mensualidades son de 53000
(excepto el mes de entrada, que es gratis.)
Voy a probar.
Si no funciona, simplemente me marcharé.

BIEN, ACEPTO EL PAGO DE ENTRADA.
BIENVENIDO A M.O.T.
¡A POR EL CAMBIO, AOYAMA!
Tres meses des-pués
En M.O.T. puedes darle un giro a tu vida.
MOT
Empezáis desde lo más bajo, como perdedores.

Y luego, conseguís trabajos a tiempo parcial como modelos de revista, actores de doblaje...
Podéis conseguir lo que os propongáis.
Todas las mujeres querrán acostarse con vosotros.
Tenéis al alcance más de trescientos millones.
¡ARRI-BA!
¡ARRI-BA!
¡¡ARRI-BA!!
¡ARRI-BA! ¡¡ARRI-BA!!
¡¡¡ARRI-BAAA!!!

¡DECID QUESO!
¡LA SUBIRÉ AL BLOG!
Boga- ban- tes,
¿en serio?
Shuck
Shuck
...
Tap

Glup
VAYA, ¿YA ESTOY TAN BO-RRACHA?
Glups

REC
00:00:03:02
VOY A METERLA YO PRIMERO.
BIEN...
VOOOY...
HD
OYE, ESTO...
¿ESTÁ BIEN HACERLO SIN SU CONSENTIMIENTO?
...
...

¡¿PERO QUÉ DICES, AOYAMA?!
YA NOS DIO SU CONSENTI-MIENTO.
¡VEN AQUÍ!
METE LOS DEDOS.
AH.
¿VES LO MOJADA QUE ESTÁ?
TOCA.
ESO SIGNIFICA QUE SU VA-GINA ESTÁ LISTA PARA RECIBIRTE.
QUIERE QUE TE LA FOLLES.
ASÍ ES.
Ja Ja Ja

ADEMÁS, NO RECORDARÁ CON QUIÉN SE HA ACOSTADO,
¿VERDAD?

...
JA, JA, JA.
ESA ES UNA DE TUS FRASES FAVORITAS, ¿VERDAD, TERU?
AOYAMA SERÁ EL PRIMERO EN CORRERSE.

YA ENTIENDO, ESTO ES...

Buf.
TAP

¡COMPAR-
TIMOS LA
MERCANCÍA,
Y COMPAR-
TIMOS LA
DIVERSIÓN!
ESO ES
M.O.T.

ASÍ NOS
CONVER-
TIMOS EN
GANADO-
RES.

MASTURBARSE
SOLO EN UNA
HABITACIÓN
OSCURA ES
ABURRIDO,
¿VERDAD?

ビットカメラ
BIT CAMERA
Caí bajo el
embrujo de
las palabras
de Teru. Poco
a poco, me
convertí en
su más fiel
seguidor.
EHC
CUGCI

AOYAMA,
ESE CORTE DE PELO ES EXCELENTE.

¿HAS IDO A LA PELUQUERÍA QUE TE RECOMENDÉ?
JE, JE... SÍ.

TE SIENTA BIEN.

¡TE HAS VUELTO UN GANADOR,
AOYAMA!

SER MIEMBRO DEL CLUB PARA ROPA, PELUQUERÍA Y COSAS SIMILARES.
EL ESTILO DE VIDA EN TOKIO ES DEMASIADO CARO PARA SOBREVIVIR Y DIVERTIRTE, SI SOLO CUENTAS CON LA PAGA QUE TE DAN TUS PADRES.

GRACIAS POR SU COMPRA.

MI HORARIO DE TRABAJO ES SIMILAR AL DE OKUMURA, UNA DE MIS COMPAÑERAS.
HABLAR CON UNA MUJER ES ALGO QUE EL ANTIGUO YO SERÍA INCAPAZ DE HACER.

¿VAMOS AL CINE?

SÍ,
ESTÁ BIEN.

¡LO LO-GRÉ!
¡¡TAL Y COMO APRENDÍ EN M.O.T.!!

ESTO ES IGUAL QUE EN EL HOTEL...
PUNTO 1 DE M.O.T.
COM-PLETA-DO.

PRIMERO, DARLE LA MANO. DESPUÉS, ¡SEXO!

¡¡AH!!
AH.

...

LO... LO SIENTO. ¿HE HECHO ALGO MAL?
¡NO!
¡PARA NADA! SIMPLEMEN-TE ME HAS ASUSTADO UN POCO...

LO QUE QUIERO DECIR ES...
... QUE ESTA ES MI PRIMERA VEZ.

SE HA HECHO TARDE... TE ACOMPAÑO A LA ESTACIÓN.

¿QUIERES IRTE DE M.O.T.?

¿CUÁL ES EL PROBLEMA, AOYAMA?

ESTO... YO...
ESTOY SALIENDO CON UNA CHICA QUE ME GUSTA...

... Y CREO QUE QUIERO IR EN SERIO CON ELLA...
NO QUIERO ACOSTARME CON ELLA SIN SU CONSENTIMIENTO... TAMPOCO QUIERO MIRAR CÓMO LO HACEN OTROS... YA NO PUEDO HACERLO.

...

ASÍ QUE ES ESO.
¿TE HAS ABURRIDO DE NUESTROS JUEGOS?

ES-ESTO SON 13000 YENES...
POR MI RENUNCIA AL CLUB.

A-ADEMÁS... JURO QUE NUNCA REVELARÉ EL "JUEGO DE LAS VIOLACIONES".
POR ESO...

¿CÓMO?
ESPERA.

ESTÁ
BIEN.
PUEDES
RENUNCIAR.

ZUP

Chu
QUE
TENGAS
SUERTE
CON ESA
CHICA.

MU-
¡MUCHAS
GRACIAS!

CAM
¿¡!?

QUÉ…

FIUN

BAM

AAAAAH
ugh

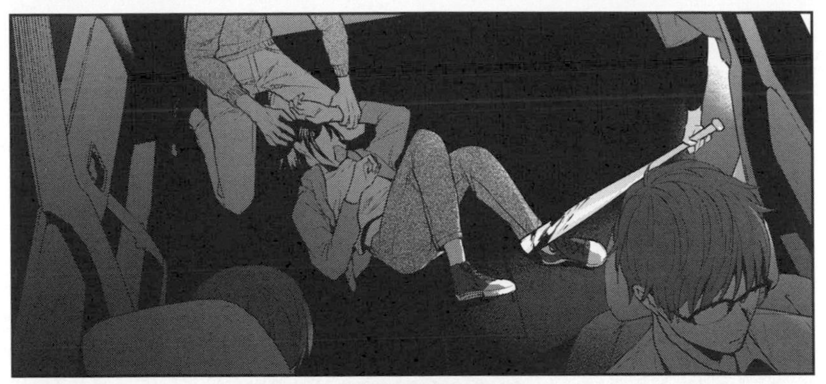

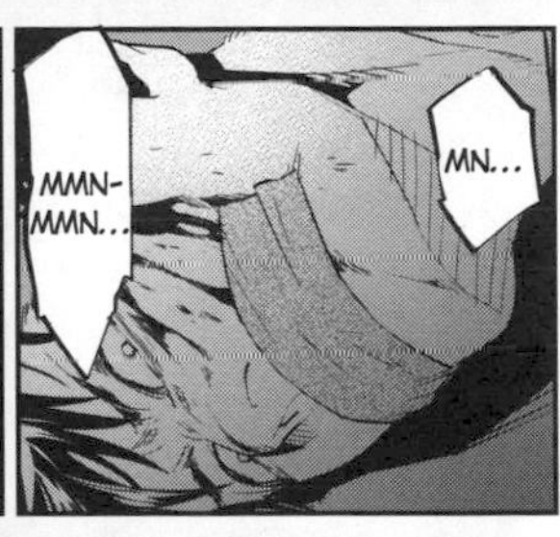
MN...
MMN-MMN...

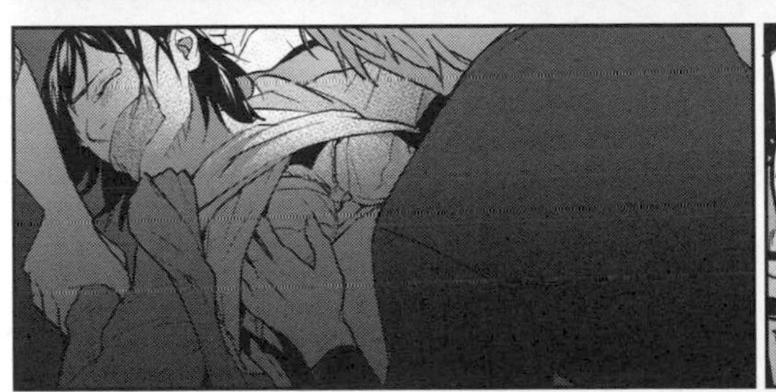

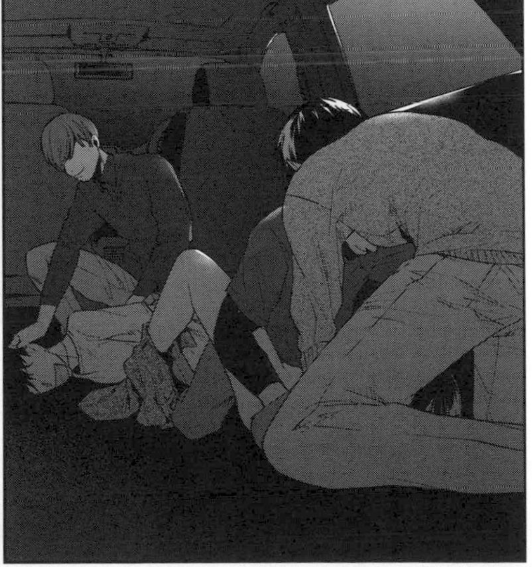

クイッ
Chu
AOYAMA...

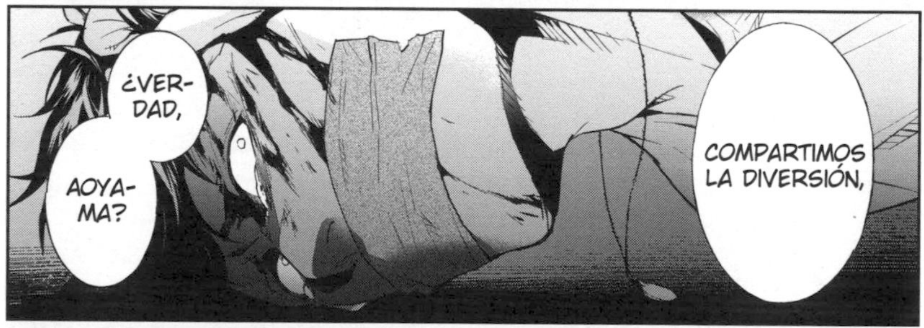
COMPARTIMOS LA DIVERSIÓN,
¿VERDAD,
AOYAMA?

B R U T A L

BRUTAL
Confesiones de un detective de homicidios

EH.

¿VAS A RETIRAR LA DEMANDA?

PERO,
YA-SUNO...
¡ODIO ESTO MÁS QUE NADIE!

¡!

NO PUEDO MÁS.
QUIERO QUE DESAPAREZCA ESTE DOLOR.

Brrr

¡ESPERA!

...
SOLO QUIERO OLVIDAR...

...

YA VEO...
HA RETIRADO LA DEMANDA...

FEE

IKEWAKI TERU.
ES UNO DE LOS HOMBRES QUE VIOLÓ A YASUNO.

EL ABOGADO DE IKEWAKI REVELÓ SU NOMBRE.
PARECE QUE LA AMENAZÓ CON DEMANDARLA SI NO RETIRABA LA DENUNCIA.
EN EL VÍDEO QUE LE MOSTRÓ... HAY UNAS IMÁGENES CONCRETAS DE LA VIOLACIÓN
QUE PODRÍAN USARSE COMO PRUEBA DE QUE HUBO CONSENTIMIENTO.
...

HA OCURRIDO LO MISMO DE FORMA SIMILAR OTRAS VECES.
TODAS LAS MUJERES QUE HAN INTERPUESTO UNA DEMANDA EN SU CONTRA, LA HAN ACABADO RETIRANDO.

EH...

DAN... ¿LO HAS INVESTIGADO?
SÍ,
UN POCO.

SU PADRE ESTÁ METIDO EN POLÍTICA Y ES MUY INFLU-YENTE. OSTENTA UN ALTO CARGO EN UNA FAMO-SA EMPRE-SA...
... Y TIENDE BASTANTE A CONSEN-TIR A SUS HIJOS.
TIENE UN ABOGADO CONTRATADO EXCLUSIVA-MENTE PARA LOS ASUNTOS DE IKEWAKI...

TIENE VARIOS APARTAMENTOS DISTRIBUIDOS POR LOS MEJORES DISTRITOS RESIDENCIALES DE TOKIO.
IKEWAKI PUEDE HACER USO DE ELLOS LIBREMENTE Y CUANDO QUIERA.

...

EN UNO DE ELLOS... ¡¡YASUNO FUE...!!
Brrrr

Crac
Crac

Krakabum

Krakabuum
ゴロゴロ
Tic
Plic
Plic Plic
ザァアァァ

Tada.

¿Y ESTO QUÉ ES?

ES UN PEPINO FRESCO QUE HE RECOGIDO ESTA MAÑANA.
UMN
¡MMM!

MÉTETELO DENTRO...
... TÚ MISMA.

...
Clic

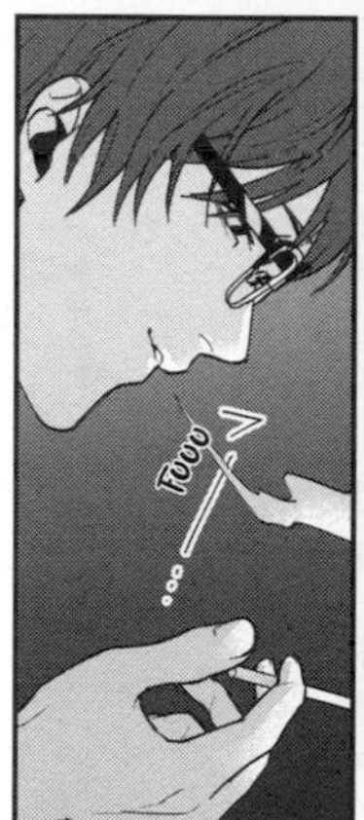
Fuuu
...

¡MMMM!

PHHH
ADIÓS AL OJO IZQUIERDO.
¿Eh? ¿No es el derecho?
TRAC
TRAC
TRAC

¿LE CERRAMOS TAMBIÉN EL DERECHO?

¿QUÉ DEBERÍA HACER?
DIME.

LO HACES GENIAL.
SIGUE ASÍ.

Y AHORA, EL GESTO GANA-DOR.
¿SABES CÓMO SE HACE?
00:00:03:02

ARRIBA.
ARRIBA.
... HASTA LA CIMA.
¡ASCIENDE! ¡¡ARRIBA!!
:00:07:75

FRUSH

HAS PERDIDO LA VIRGINIDAD CON UN PEPINO.

SNIF
DIME, ¿ESTÁ BUENO?

Y, COMO YA ES TRADICIÓN,
¡EL JUEGO DE AGUANTE!
¡¿QUIÉN SERÁ EL PRIMERO QUE SE CORRA!?

SORO KOBAYASHI, ¡ADELANTE!
ja, ja, ja
Clap
Clap

¿OH?
OH.
Paf
Paf
¡HA ENTRADO!

QUE APRETADO ESTÁ.
¡WOW!
¡QUÉ INTENSO!

1
2
3
EH, AOYAMA...

YA LO HAS ENTENDIDO PARA LA PRÓXIMA VEZ, ¿VERDAD?
COMPARTIMOS...
... LA DIVERSIÓN.

4
5
6
7

¡¡Ya llego...!!
SOLO SIETE.
QUÉ PRECOZ.
Jajaja

AOYAMA.
...

A MÍ NO SE ME TRAICIONA, ¿ENTIENDES?
ESPERO QUE LO TENGAS CLARO PARA LA PRÓXIMA VEZ.
Plic Plic Plic Plic Plic
O ESTE VÍDEO
TERMINARÁ EN INTERNET.

YURI...
POR FAVOR, RESPONDE...

Le atiende el contestador automático, intente llamar más tarde.

NOS HEMOS SEPARADO ESTA MAÑANA.
ESPERO QUE HAYA LLEGADO BIEN A CASA...

HA INTENTADO SUICIDARSE SALTANDO POR LA VENTANA.
ES UNA MUJER TAN JOVEN...
TUM TUM

¡¡APÁRTENSE!!
¡¡DESPEJEN LA CALLE, POR FAVOR!!

¡¡YURI!!

YURI.
¿ME OYES? ¡YURI!

SU ESTADO ES GRAVE. VA A NECESITAR MUCHA SUERTE...
... PARA MANTENERSE CON VIDA.

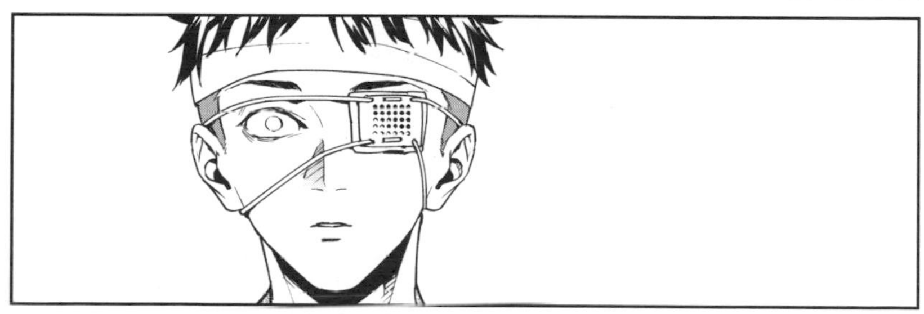

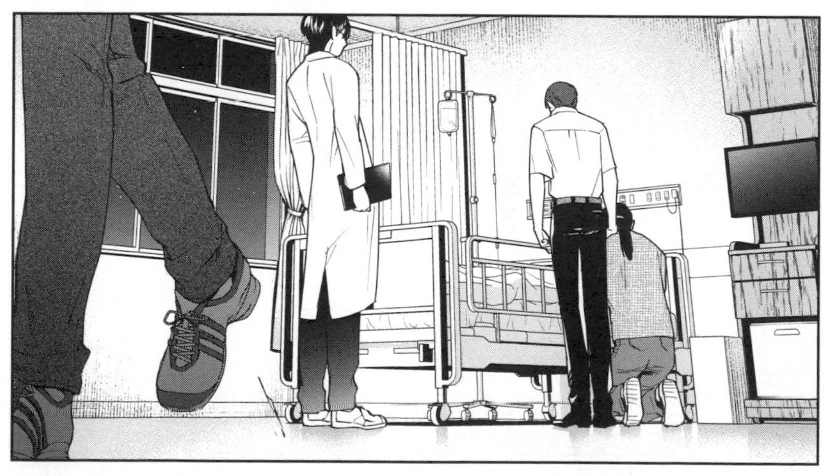

Ah
Ah
QUÉ DESPERDICIO.
PERDIÓ LA VIRGINIDAD POR SU PROPIA MANO.

IKEWAKI,
TIENES QUE DARME A PROBAR ALGUNA VEZ...
... UNA VIRGEN.

POR SUPUESTO,
LO QUE SEA QUE NECESITE NUESTRO ABOGADO.
COMO SIEMPRE, HAS CONSEGUIDO ELIMINAR LA DENUNCIA RÁPIDAMENTE.
AH...
¡WOW!

¡¡DALE A PAUSA!!
pip

AAAAAH
slurp
ESA VAGINA VIRGINAL, ES HERMOSA.
PAGARÍA POR ESTA IMAGEN. QUIERO EMPAPELAR TODA MI HABITACIÓN CON ELLA.

JODER, ERES UN PUTO PER-VERTIDO.

Ding
dong

OH,
ES AOYA-MA.

VENGO A PAGAR LA MITAD DE LA CUOTA DE ESTE MES QUE ME FALTABA.

PERFECTO.
ABRE LA PUERTA.

Ñiii

pam

Ti ro ri♪
¿TODAVÍA TIENES EL TELÉFONO DE ESA MUJER?
QUÉ VA,
ES UN MENSAJE...
¿¡!?

200
From
♥DAN♥
subject
Solo
Sal al balcón.

¿QUIÉN ES? ¿Y CÓMO ES QUE TENGO REGISTRADO SU NÚMERO?
¿DAN?

"¿SAL AL BALCÓN?"
... ¿QUÉ COJO-NES...?
SSSHP

FIUUU

UAAAAAAAAH
¡!

Q-
AH
¡¡AAAAH!!
¿EH?
A...
AO-YA-MA...
¿QUÉ HA-CES?
FRUM

ザシュ
PUM
HIII
ぎゃあああ
うわあああ
AAAAH
AAAAAH

MMN
AAAAAAH
...
POM
PLURG
SSSSS

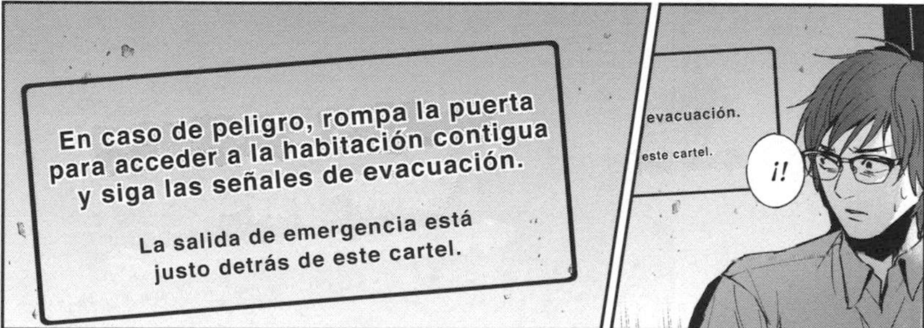
En caso de peligro, rompa la puerta para acceder a la habitación contigua y siga las señales de evacuación.
La salida de emergencia está justo detrás de este cartel.
evacuación.
este cartel.
¡!

CRASH

¡!
TAC

PLOF
Agh
¿QUÉ OCURRE?
Agh

U-
AYU...
...DA
UN HOMBRE ESTÁ BLANDIEN-DO UN HACHA...
HE CONSE-GUIDO ESCAPAR. ¡ESTÁ LOCO!
pap
UN HA-CHA...

QUÉ DESASTRE.
ALGUIEN DEBERÍA LLAMAR A LA POLICÍA.
TUTU-RURUU.
TUTU-RURUU.
...
¿OH? NO LO COGEN...
AH.

JUJU-JU.
PERO SI NO ES UN TELÉFONO.
ES UNA PISTOLA ELÉCTRICA.

Bzzzz

Fuuu
Fuuu

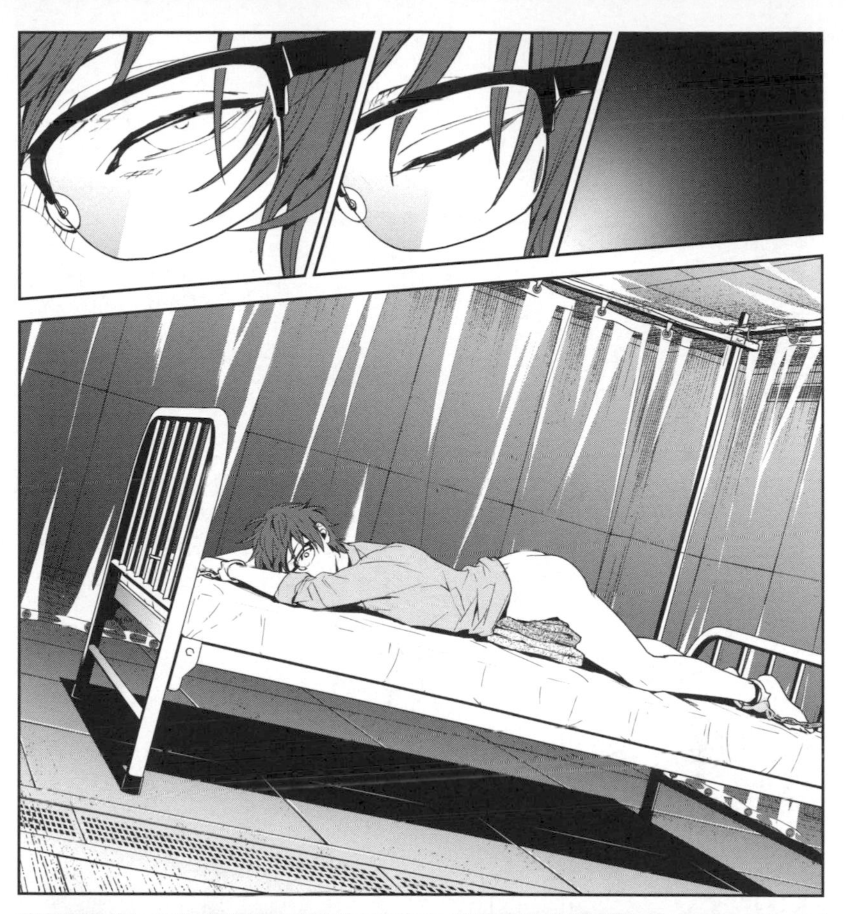

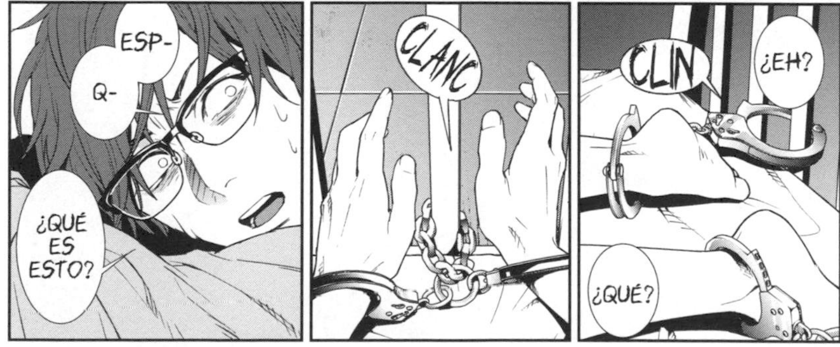
CLIN
¿EH?
¿QUÉ?
CLANC
ESP-
Q-
¿QUÉ ES ESTO?

¿YA ESTÁS DES- PIERTO?

ARRIBA.

Q-
Q-Q-
QUÉ...

¿QUÉ QUIERES?
¿¡QUÉ ES ESTO!?
¡AH!
shup

¿QUÉ CREES...
... QUE ES ESTO?
Está hecho por encargo.

...
¿EH?
SALE EN UNA ESCENA DE LA PELÍCULA EL EXORCISTA.
Q-
¿QUÉ ESTÁS DICIENDO?

Shup
スッ
EL DIABLO POSEE A UNA NIÑA.
Y MANIPULA SU CUERPO PARA QUE SE MASTURBE...
... METIÉN-DOSE UN CRUCIFIJO POR LA VA-GINA...

¡DEJA QUE JESÚS TE FOLLE!
¡¡QUE JESÚS TE FOLLE!!
¡ZASH! ¡ZASH!

JU JU, JU.
TRAN-QUILO,
NO SE LO CLAVA REALMENTE.
PERO...

¿DEBERÍA HACER LA PRUEBA?
¿CREES QUE SENTIRÁS PLACER?

EH.
EH, OYE.
¡OYE!
¡PA-RA!
¡SE LO DIRÉ A MI PADRE!
DE-TEN-TE.

SHUUP
GYUUN
¡¡¡AAAAAAAAAAAA!!!
¿CUÁNTAS VECES SERÁN?
¿EL JUEGO DEL AGUANTE SE LLAMABA? CUENTA CONMIGO.
shup
AAAAAAAAAAAA

Shhh
U-UU-UUU-UNO
pic
pic
¡¡¡A
AAAAAAAAA!!!
DO-OOO-OS
¡¡¡AAAAAAAAAA!!!
shhh
shhh
shhh
IKEWAKI,
ESE GESTO QUE HACES SIEMPRE, ¿ME LO ENSEÑAS?
pic
VEN-GA...
pic

ARRIBA.

...
Tiqui
VENGA, VAMOS. ¿PUEDES HACERLO?
AH.

PU-PUE-DO...
PUE-DO HA-CER-LO...

¡ARRIBA!

UUUUUUUF
UUUUUUUF
¿POR QUÉ ...?
¿POR QUÉ HACES ESTO?

¿¡QUÉ QUIE-RES!? ¿EH? ¿QUÉ QUIERES?
¡¿DI-NE-RO!?
¿¡CUÁNTO QUIERES!? ¡¡SOLO PÍDELO!!
¡MI PADRE TE DARÁ LA CANTIDAD QUE LE PIDAS!

Ah
QUIERES DINERO,
Ah
¿¡VER-DAD, PERDE-DOR!?
Uf

...
NO QUIERO DINERO.
ESTOY INMENSAMENTE AGRADECIDO CON LO QUE TENGO.

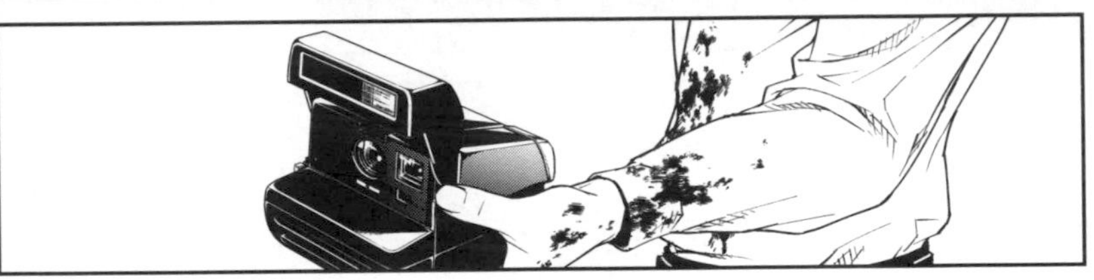

POR ESA MISMA RAZÓN, DISPONGO DE TIEMPO SUFICIENTE PARA DEDICARME A MÍ MISMO.
INVIERTO ESE TIEMPO EN MIS AFICIONES... Y EN REALIZAR BUENAS ACCIONES.

ENTONCES...
Ah は
¡¡QUÉ COJONES QUIERES!!
はぁ Ah

LO QUE QUIERO...
ES DESTRO-ZARTE.
Clic

ADORO
ESA
EXPRESIÓN
EN TU
ROSTRO.

663
664
665

Ñicu
Ñicu

¡¡¡666!!!

VAYA...

¿CUÁNDO TE HAS QUEDADO INCONS-CIENTE?
YA TE HAS MUERTO, ¿VERDAD?
JU JU JU.

HAN ENCONTRADO CUATRO CADÁVERES EN EL DEPARTAMENTO DE IKEWAKI...

...

TRAS LA DECLARACIÓN DEL SOSPECHOSO DETENIDO EN LA ESCENA DEL CRIMEN,
IKEWAKI Y TODOS LOS DELITOS DE LA ORGANIZACIÓN SALDRÁN A LA LUZ.

IKEWAKI SIGUE EN PARADERO DESCONOCIDO, PERO...
DESDE LA JEFATURA DE POLICÍA ESTAMOS DEDICANDO TODOS NUESTROS RECURSOS PARA ENCONTRARLO.

特集
SE ENCUENTRA DESAPARECIDO EL HIJO MAYOR DE...
MIEMBRO DE LA PRESTIGIOSA FAMILIA IKEWAKI
SE HAN ENCONTRADO LOS CADÁVERES DE CUATRO PERSONAS BRUTALMENTE ASESINADAS. ¿¡FUE LA VENGANZA EL MOTIVO DE ESTE CRIMEN!?
LOS MIEMBROS DE M.O.T HABLAN SOBRE LA ESTRUCTURA DEL CLUB.
VIOLACIÓN, AGRESIÓN, AMENAZAS... ¡LA ELITE DEL CRIMEN!
LAS MUJERES VÍCTIMAS DE M.O.T SIGUEN APARECIENDO.
ESE MISERABLE ESTÁ ACABADO.
...

...

YA-SUNO...

SÉ QUE EL DOLOR TE ACOMPAÑARÁ SIEMPRE, PERO YO ESTARÉ A TU LADO...
... Y TE PROMETO QUE SALDRÁS ADELANTE.

カチャ
CUP
MUCHAS GRACIAS,
RYO.

Como resultado de la declaración del sospechoso, Aoyama, el departamento de la policía metropolitana ha emprendido una nueva línea de investigación.
Distrito Koto
El caso de los 4 jóvenes asesinados
Varios de los delitos cometidos por este club han salido a la luz.
La universidad ha convocado una reunión para cerrar...

¿?

¡YURI!
¿QUÉ OCURRE? ¿TE DUELE ALGO?
NO, ESTOY BIEN...

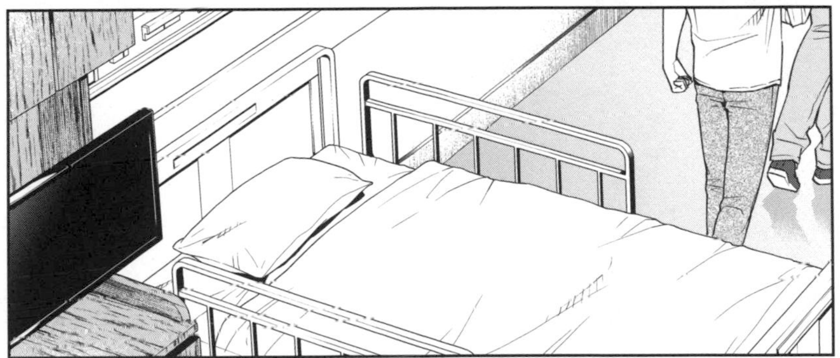

PRONTO ESTARÁS RECUPERADA...
HAY UNA PERSONA A LA QUE QUIERO PRESENTARTE.

Y OTRA BUENA ACCIÓN REALIZADA.
¡QUÉ BIEN SIENTA! ARRIBA, ARRIBA.
JU JU JU.

AVANCE DEL SIGUIENTE VOLUMEN

UN PERIODISTA QUE CORROMPE LA JUSTICIA, MENOSPRECIA A LOS DÉBILES Y VILLANOS, JUZGANDO SUS CRÍMENES POR IGUAL.

PRÓXIMAMENTE EN EL VOLUMEN 2 DE
BRUTAL: CONFESIONES DE UN DETECTIVE DE HOMICIDIOS

BRUTAL

Confesiones de un detective de homicidios

REIJI MANO, INVESTIGADOR FORENSE.

ÉL FUE EL ÚNICO SUPERVIVIENTE EN EL CASO DE ASESINATO DE LA FAMILIA NERIMA, HACE 24 AÑOS.

Brutal: confesiones de un detective de homicidios volumen 1, de Kei Koga y Ryo Izawa.

Primera edición: noviembre de 2022
Título original: *Brutal: Satsujin Kansatsukan no Kokuhaku*
Publicado originalmente en Japón por Coamix Co., Ltd., 2019.

Publicado por Kitsune Books
C/ Aragó, n.º 287, 2.º 1.ª
08009, Barcelona
www.kitsunemanga.com

ISBN: 978-84-18524-60-8
THEMA: XAM
Depósito legal: B 20772-2022
Preimpresión: Taller de los Libros
Impresión y encuadernación: Cachimán Gràfics S. L.
Impreso en España – *Printed in Spain*